mon album d'activités • Larousse

les petits
écologistes
en action

Angela Wilkes

Larousse

17, RUE DU MONTPARNASSE - 75298 PARIS CEDEX 06

Conception graphique M. Bull

Photographie D. King et M. Dunning
Direction artistique R. Priddy

Traduction B. Porlier
Coordination Larousse O. Dénommée

Un livre de Dorling Kindersley
Titre original : *My First Green Book*
© 1991 Texte et illustrations Dorling Kindersley Ltd., Londres. Tous droits réservés.
© 1992 Larousse pour l'édition en langue française.
Distributeur exclusif au Canada : Les Éditions françaises inc.

L'Éditeur tient à remercier J. Buckley, H. Drew,
M. Earey, M. Greenwood, A. Kramer,
S. Parker et S. Webster pour leur aimable collaboration.
Illustrations de B. Delf.

Imprimé en Italie par L.E.G.O.
Dépôt légal : février 1992
N° éditeur : 16306
601 147 février 1992

ISBN 2-03-601147-0

SOMMAIRE

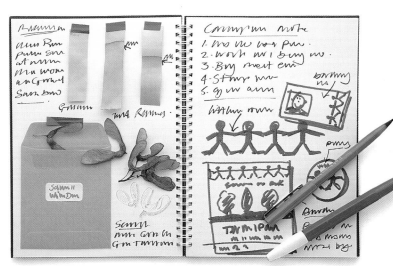

PROTÈGE LA NATURE

La Terre est une planète vivante. Hommes, animaux et plantes s'y côtoient et y trouvent ce dont ils ont besoin. Mais, en oubliant de prendre garde à la nature, nous l'avons beaucoup abîmée. Car la Terre est fragile et, aujourd'hui, des dangers la menacent. Être *écologiste,* c'est prendre soin de ce monde où nous vivons, de notre *environnement,* en changeant nos habitudes.

Dans le monde entier

La Terre est pleine de ressources, comme le pétrole, le charbon, qui nous servent à nous chauffer, à faire marcher nos voitures et nos usines. Mais, en les utilisant, nous rejetons souvent dans l'air des fumées toxiques, qui polluent aussi les rivières, les mers et les campagnes. Des plantes et des animaux disparaissent. Les forêts vierges sont abattues. Il n'est pourtant pas trop tard pour réagir. Ce livre va te montrer comment tu peux protéger l'environnement.

4

Chez toi

Chacun peut agir et l'écologie commence à la maison.
Nous prenons parfois inutilement la voiture,
nous consommons et nous rejetons
beaucoup trop de déchets. Parles-en
avec tes parents : en faisant un peu
attention, tu peux sûrement éviter
bien du gaspillage.

Autour de toi

Être écologiste, c'est aimer la nature,
bien la comprendre pour mieux la respecter.
Observe autour de toi les efforts faits pour diminuer la pollution.
Ta ville possède-t-elle des collecteurs pour le recyclage des
déchets : le verre, le papier, la ferraille,
le plastique ou les piles usagées ?

Réagis

Joins-toi à une association de
protection de la nature ou fonde
un club avec des copains ! Les
jeunes peuvent faire beaucoup
pour rendre le monde plus
agréable et chacune de tes
actions sera bonne pour
l'environnement. L'avenir de la
Terre est aussi entre tes mains.

MÈNE TES ENQUÊTES

Découvre, avec *Les petits écologistes en action*, comment préserver l'environnement, et réalise des expériences simples et fascinantes. Avec quelques explications et des photos grandeur réelle qui te montrent le matériel à réunir et ce que tu dois faire à chaque étape, c'est facile ! Mais, avant de commencer, lis bien ces deux pages et suis les conseils pratiques.

Comment utiliser ce livre

Ce qu'il te faut
Pour t'aider, les objets dont tu as besoin sont photographiés en grandeur réelle.

Le matériel
Ce dessin t'indique le matériel que tu dois réunir avant de commencer ton expérience.

Pas à pas
Des photos et des explications simples te montrent ce que tu dois faire à chaque étape.

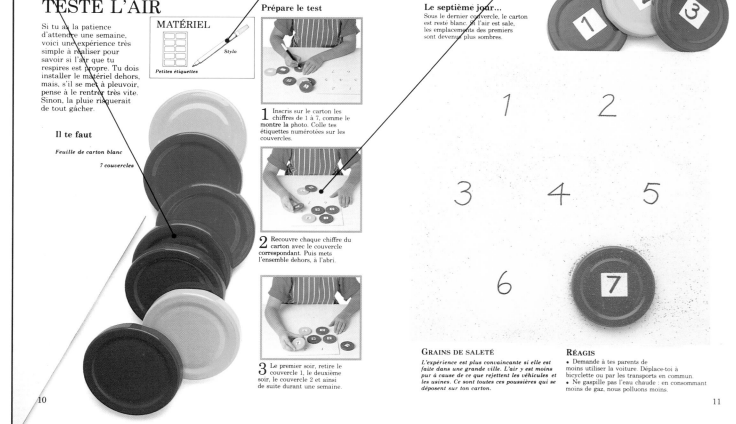

TESTE L'AIR

Si tu as la patience d'attendre une semaine, voici une expérience très simple à réaliser pour savoir si l'air que tu respires est propre. Tu dois installer le matériel dehors, mais, s'il se met à pleuvoir, pense à le rentrer très vite. Sinon, la pluie risquerait de tout gâcher.

MATÉRIEL

Petites étiquettes — Stylo

Il te faut

Feuille de carton blanc

7 couvercles

Prépare le test

1 Inscris sur le carton les chiffres de 1 à 7, comme le montre la photo. Colle tes étiquettes numérotées sur les couvercles.

2 Recouvre chaque chiffre du carton avec le couvercle correspondant. Puis mets l'ensemble dehors, à l'abri.

3 Le premier soir, retire le couvercle 1, le deuxième soir, le couvercle 2 et ainsi de suite durant une semaine.

Le septième jour...
Sous le dernier couvercle, le carton est resté blanc. Si l'air est sale, les emplacements des premiers sont devenus plus sombres.

1 2 3

4 5

6 7

GRAINS DE SALETÉ
L'expérience est plus convaincante si elle est faite dans une grande ville. L'air y est moins pur à cause de ce que rejettent les véhicules et les usines. Ce sont toutes ces poussières qui se déposent sur ton carton.

RÉAGIS
• Demande à tes parents de moins utiliser la voiture. Déplace-toi à bicyclette ou par les transports en commun.
• Ne gaspille pas l'eau chaude : en consommant moins de gaz, nous polluons moins.

10

11

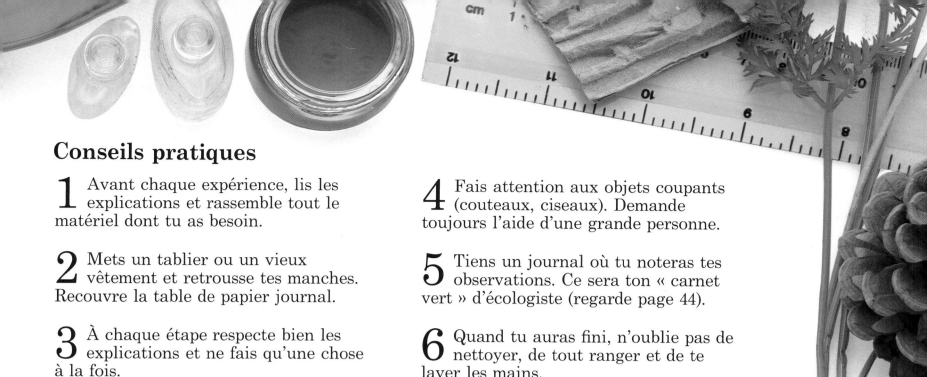

Conseils pratiques

1 Avant chaque expérience, lis les explications et rassemble tout le matériel dont tu as besoin.

2 Mets un tablier ou un vieux vêtement et retrousse tes manches. Recouvre la table de papier journal.

3 À chaque étape respecte bien les explications et ne fais qu'une chose à la fois.

4 Fais attention aux objets coupants (couteaux, ciseaux). Demande toujours l'aide d'une grande personne.

5 Tiens un journal où tu noteras tes observations. Ce sera ton « carnet vert » d'écologiste (regarde page 44).

6 Quand tu auras fini, n'oublie pas de nettoyer, de tout ranger et de te laver les mains.

Le résultat final
Le résultat de l'expérience est photographié grandeur nature : ainsi, tu sais ce qui doit se produire.

L'explication
À la fin de chaque expérience, on t'explique ce qui s'est passé et pourquoi tu as obtenu ce résultat.

Réagis
Enfin, tu trouveras des conseils et des idées pour participer à la protection de l'environnement.

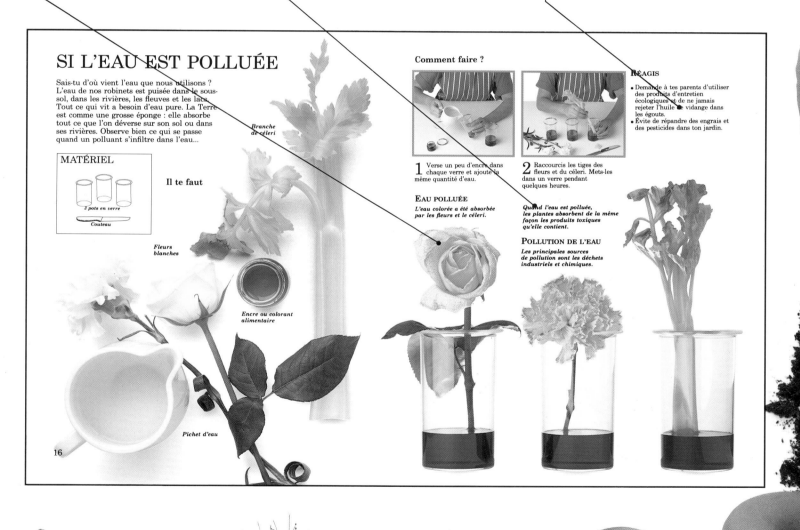

SI L'EAU EST POLLUÉE

Sais-tu d'où vient l'eau que nous utilisons ? L'eau de nos robinets est puisée dans le sous-sol, dans les rivières, les fleuves et les lacs. Tout ce qui vit a besoin d'eau pure. La Terre est comme une grosse éponge : elle absorbe tout ce que l'on déverse sur son sol ou dans ses rivières. Observe bien ce qui se passe quand un polluant s'infiltre dans l'eau...

MATÉRIEL

3 pots en verre

Couteau

Il te faut

Branche de céleri

Fleurs blanches

Encre ou colorant alimentaire

Pichet d'eau

Comment faire ?

1 Verse un peu d'encre dans chaque verre et ajoute la même quantité d'eau.

2 Raccourcis les tiges des fleurs et du céleri. Mets-les dans un verre pendant quelques heures.

EAU POLLUÉE
L'eau colorée a été absorbée par les fleurs et le céleri.

Quand l'eau est polluée, les plantes absorbent de la même façon les produits toxiques qu'elle contient.

POLLUTION DE L'EAU
Les principales sources de pollution sont les déchets industriels et chimiques.

RÉAGIS
● Demande à tes parents d'utiliser des produits d'entretien écologiques et de ne jamais rejeter l'huile de vidange dans les égouts.
● Évite de répandre des engrais et des pesticides dans ton jardin.

16

DES INDICES...

En fonctionnant, nos usines rejettent des fumées toxiques dans l'atmosphère.
En roulant, nos automobiles produisent des gaz d'échappement.
L'air que nous respirons n'est donc pas toujours très pur : il est *pollué* et cela peut nuire à la santé des êtres vivants (les plantes, les animaux et les hommes).

Pour vérifier si l'air est pollué, commence par examiner les arbres, les murs et les pierres. C'est tout simple !

LES LICHENS

Les lichens poussent surtout sur les arbres, les murs ou les vieilles pierres. Comme ils n'ont pas de racines, ils puisent directement dans l'air l'humidité dont ils ont besoin. Mais ils absorbent aussi les saletés que contient celui-ci et sont donc très sensibles à la pollution. Certains peuvent la supporter, d'autres non.

LICHENS FEUILLUS OU CHEVELUS ?

Ce lichen vert et feuillu, sur les murs et les arbres, indique que l'air est assez pur. S'il est vert et chevelu, c'est que l'air est très pur.

LICHEN ORANGE EN CROÛTE

On trouve ce lichen sur les rochers et les pierres de construction.

Le lichen orange pousse dans un air peu pollué.

8

LICHEN VERT EN CROÛTE

Ce lichen sur les arbres et les murs indique que l'air est plutôt pollué.

POLLUTION DANS LES VILLES

Dans une grande ville, les lichens ne poussent pas. Tu dois alors regarder les murs des bâtiments. Souvent, ils sont gris ou noirs, mais ce n'est pas leur vraie couleur. Essaie de savoir avec quoi ils ont été construits.

Ce morceau de pierre cassée montre la différence entre la couleur d'origine et celle de la surface, devenue toute grise.

ALGUES VERTES

Ces algues vertes et poudreuses supportent une forte pollution. Si elles sont seules à pousser, l'air est sûrement très pollué.

LA TOILETTE DES PIERRES

Nous dépensons chaque année beaucoup d'argent pour nettoyer les monuments et les bâtiments des villes. Observe bien cette cathédrale où seules les pierres de la partie gauche ont été nettoyées. Quelle différence !

Si tu regardes de près, tu peux voir sur une vieille pierre le mal fait, au cours du temps, par la pollution et les pluies acides (voir pages 12-15). En plus de la couche de saleté, les produits chimiques contenus dans l'air et la pluie ont creusé la pierre.

9

TESTE L'AIR

Si tu as la patience
d'attendre une semaine,
voici une expérience très
simple à réaliser pour
savoir si l'air que tu
respires est propre. Tu dois
installer le matériel dehors,
mais, s'il se met à pleuvoir,
pense à le rentrer très vite.
Sinon, la pluie risquerait
de tout gâcher.

Il te faut

Feuille de carton blanc

7 couvercles

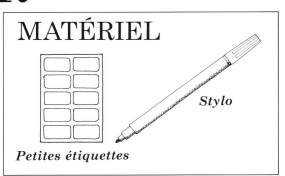

MATÉRIEL

Petites étiquettes   *Stylo*

Prépare le test

1 Inscris sur le carton les
chiffres de 1 à 7, comme le
montre la photo. Colle tes
étiquettes numérotées sur les
couvercles.

2 Recouvre chaque chiffre du
carton avec le couvercle
correspondant. Puis mets
l'ensemble dehors, à l'abri.

3 Le premier soir, retire le
couvercle 1, le deuxième
soir, le couvercle 2 et ainsi
de suite durant une semaine.

Le septième jour...

Sous le dernier couvercle, le carton est resté blanc. Si l'air est sale, les emplacements des premiers sont devenus plus sombres.

GRAINS DE SALETÉ

L'expérience est plus convaincante si elle est faite dans une grande ville. L'air y est moins pur à cause de ce que rejettent les véhicules et les usines. Ce sont toutes ces poussières qui se déposent sur ton carton.

RÉAGIS

- Demande à tes parents de moins utiliser la voiture. Déplace-toi à bicyclette ou par les transports en commun.
- Ne gaspille pas l'eau chaude : en consommant moins de gaz, nous polluons moins.

11

PAPIER MALIN !

Sais-tu ce qu'est la pluie acide ?
Tu vas le comprendre en voyant ce qu'elle peut faire aux plantes. Tout d'abord, voici comment fabriquer du papier de tournesol : les scientifiques s'en servent pour savoir si certaines substances sont acides ou non. Essaie-le en rendant toi-même de l'eau acide.

Buvard blanc

Acide léger : du vinaigre

Il te faut

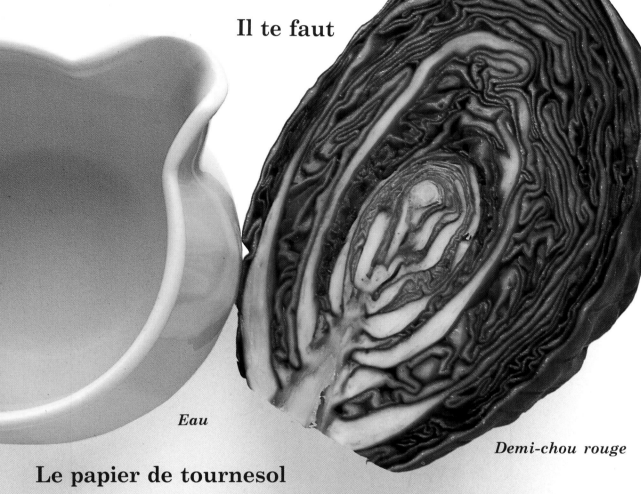

Eau

Demi-chou rouge

MATÉRIEL

Bol

Passoire

Ciseaux

Bloc-notes

Planche à découper

Étiquettes

3 bocaux

Soucoupe

Verre doseur

Couteau

Stylo

Le papier de tournesol

1 Découpe le chou et mets-le dans le bol. Recouvre-le d'eau chaude et attends que l'eau devienne violette.

2 Verse cette eau dans le verre doseur à l'aide de la passoire, afin de retenir le chou.

3 Coupe de petites bandes de buvard. Trempe-les dans l'eau violette et laisse-les sécher quelques heures dans la soucoupe.

12

Test d'acidité

1 Dans un bocal, verse de l'eau pure. Dans un second, mélange 1/4 de vinaigre et 3/4 d'eau. Étiquette celui-ci « légèrement acide ».

2 Dans le troisième bocal, mélange une moitié d'eau et une moitié de vinaigre. Inscris « plus acide ».

3 Trempe une bande de papier de tournesol dans chaque bocal. Regarde ce qui se passe et note-le dans ton carnet.

QUE SE PASSE-T-IL ?

Quand tu trempes le papier de tournesol dans l'eau pure, il s'assombrit légèrement, simplement parce qu'il est mouillé. Mais, trempé dans l'eau vinaigrée, il devient rose, quelle que soit la quantité de vinaigre.

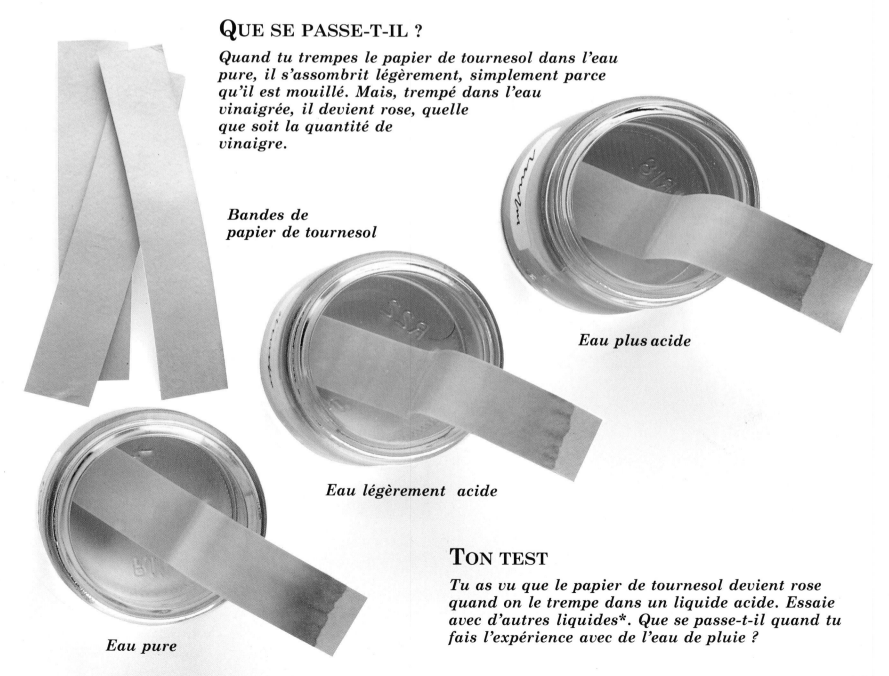

Bandes de papier de tournesol

Eau plus acide

Eau légèrement acide

Eau pure

TON TEST

Tu as vu que le papier de tournesol devient rose quand on le trempe dans un liquide acide. Essaie avec d'autres liquides*. Que se passe-t-il quand tu fais l'expérience avec de l'eau de pluie ?

* Demande à un adulte quels produits tu peux tester sans danger.

PLUIE ACIDE

Les pluies acides se forment quand certains produits polluants contenus dans l'air se mélangent à l'eau des nuages : ils rendent celle-ci *acide*. Ces produits viennent des gaz toxiques rejetés par les usines, les centrales, les automobiles. Cette expérience va te montrer l'effet de la pluie acide sur les plantes.

Il te faut

Étiquettes

Eau

Trois plantes*
en pot
avec leur
soucoupe

Vinaigre

MATÉRIEL

Verre doseur

Stylo

3 grands bocaux

Vaporisateur

Comment faire ?

1 Remplis un bocal avec 1/4 de vinaigre. Ajoute 3/4 d'eau.

2 Écris « un peu acide » sur deux étiquettes. Colle l'une sur le bocal que tu as rempli, et l'autre sur l'un des pots de plante.

3 Remplis un autre bocal d'eau pure. Avec deux étiquettes, inscris « eau » sur le bocal et sur la seconde plante.

14

* Tu dois avoir la permission de sacrifier ces plantes.

PLUIE ACIDE

La pluie acide a le même effet sur les plantes que l'eau vinaigrée. Elle est heureusement moins forte et agit moins vite. Mais, peu à peu, elle tue les arbres des forêts, pollue les eaux et nuit à la santé des hommes et des animaux.

RÉAGIS

• Demande à tes parents d'utiliser la voiture moins souvent.
• Envoie tes déchets au recyclage.

4 Remplis le dernier bocal d'une moitié d'eau et d'une moitié de vinaigre. Colle encore deux étiquettes marquées « très acide ».

5 Aligne tes pots. Arrose-les et vaporise-les chaque jour avec le liquide portant l'étiquette correspondante.

QUE SE PASSE-T-IL ?

La plante qui reçoit l'eau pure reste en bonne santé, mais les deux autres meurent. Plus l'acide est fort, plus la plante meurt vite.

Plante en bonne santé

Plante en train de mourir

Plante morte

eau

un peu acide

très acide

SI L'EAU EST POLLUÉE

Sais-tu d'où vient l'eau que nous utilisons ?
L'eau de nos robinets est puisée dans le sous-
sol, dans les rivières, les fleuves et les lacs.
Tout ce qui vit a besoin d'eau pure. La Terre
est comme une grosse éponge : elle absorbe
tout ce que l'on déverse sur son sol ou dans
ses rivières. Observe bien ce qui se passe
quand un polluant s'infiltre dans l'eau...

MATÉRIEL

3 pots en verre

Couteau

Il te faut

*Branche
de céleri*

*Fleurs
blanches*

*Encre ou colorant
alimentaire*

Pichet d'eau

16

Comment faire ?

1 Verse un peu d'encre dans chaque verre et ajoute la même quantité d'eau.

2 Raccourcis les tiges des fleurs et du céleri. Mets-les dans un verre pendant quelques heures.

EAU POLLUÉE

L'eau colorée a été absorbée par les fleurs et le céleri.

Quand l'eau est polluée, les plantes absorbent de la même façon les produits toxiques qu'elle contient.

POLLUTION DE L'EAU

Les principales sources de pollution sont les déchets industriels et chimiques.

RÉAGIS

- Demande à tes parents d'utiliser des produits d'entretien écologiques et de ne jamais rejeter l'huile de vidange dans les égouts.
- Évite de répandre des engrais et des pesticides dans ton jardin.

FILTRE L'EAU

L'eau qui coule dans nos robinets est propre. Mais, comme elle provient du sous-sol et des rivières, elle est d'abord chargée de microbes. Elle contient des déchets d'animaux, de plantes et des produits chimiques. Avant d'être potable, elle est donc purifiée dans des usines de filtrage. En construisant ton propre filtre à eau, tu découvriras comment on fait.

Pichet d'eau

Terre

MATÉRIEL

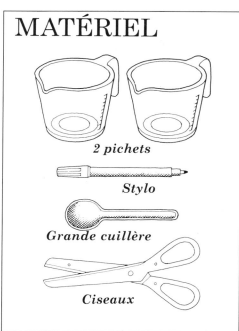

2 pichets

Stylo

Grande cuillère

Ciseaux

Il te faut

Feuilles et herbe

Papier buvard

Gravier ou petits cailloux

Sable grossier

Pot de fleurs propre

Fabrique le filtre

1 Mélange un peu de terre, de sable, de gravier, d'herbe et de feuilles dans le pichet d'eau.

2 Pose le pot de fleurs sur le papier buvard et dessine autour la base du pot. Puis découpe le cercle de buvard.

3 Dépose le cercle au fond du pot. Remplis de sable jusqu'à mi-hauteur, puis ajoute une couche de gravier.

Filtrage

Dépose le pot de fleurs au-dessus d'un pichet vide. Verse lentement l'eau boueuse.

QUE SE PASSE-T-IL ?

L'eau qui sort du filtre est plus propre, car le filtre retient les saletés.
Dans une station de filtrage, de gros filtres rendent l'eau encore plus pure.
On y ajoute aussi des produits pour tuer les microbes.

Eau boueuse

Pot filtreur

L'eau sort par le trou sous le pot filtreur.

Eau filtrée

DÉCOMPOSITION

La nature ne conserve pas les restes des êtres vivants, tels que les feuilles mortes, les cadavres d'animaux ou les vieux arbres. Ce test te montre comment elle les élimine.

Sais-tu que la plupart des déchets sont enterrés mais ne peuvent pas être réutilisés par la nature ? Réalise le second test pour voir ce qu'ils deviennent.

Pourrissement en direct !

Pour réaliser cette expérience, prends un poivron, un morceau de pain, de fromage, ou un reste de pomme.

Coupe le poivron en deux (pour voir l'intérieur). Mets la moitié dans un sac en plastique transparent et ferme-le avec une ficelle très serrée. Laisse-le ainsi une semaine ou deux.

Regarde chaque jour ce qui se passe et note-le dans ton carnet (regarde page 44). N'ouvre pas le sac et ne touche pas le poivron. Ces photos ont été prises sans le sac pour bien montrer le résultat.

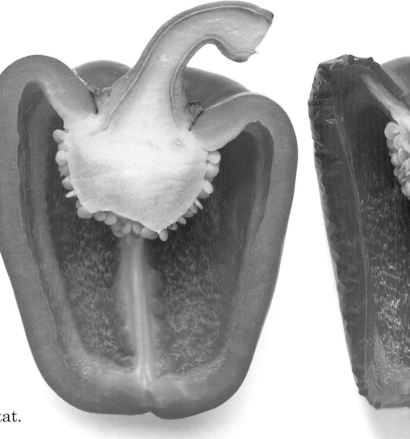

1er jour   *5e jour*

Dans la terre

Enterre ces objets dans ton jardin, chacun dans un trou différent : tu verras ceux qui pourrissent. Marque bien les emplacements et déterre les objets un mois plus tard. Lesquels ont pourri ? Tu trouveras, page suivante, les déchets que l'on peut réutiliser.

Rameau

Boîte d'œufs en polystyrène

Boîte de conserve

20

LA NATURE AU TRAVAIL

Avec le temps, le poivron se fane et se couvre de moisissures : ce sont des champignons microscopiques, que l'on trouve dans l'air autour de nous. Après deux semaines, le poivron a rétréci et perdu du poids. Les moisissures sont en train de le manger. Elles se fixent ainsi sur les déchets et les font disparaître. Dans le sol, d'autres champignons, des bactéries, des vers, des insectes mangent aussi les plantes et les animaux morts. Ils les transforment en humus, qui sera réutilisé par les plantes. On dit alors qu'ils les recyclent. Tout ce qui pourrit ainsi est biodégradable.

| 8ᵉ jour | 10ᵉ jour | 15ᵉ jour |

8ᵉ jour   10ᵉ jour   15ᵉ jour

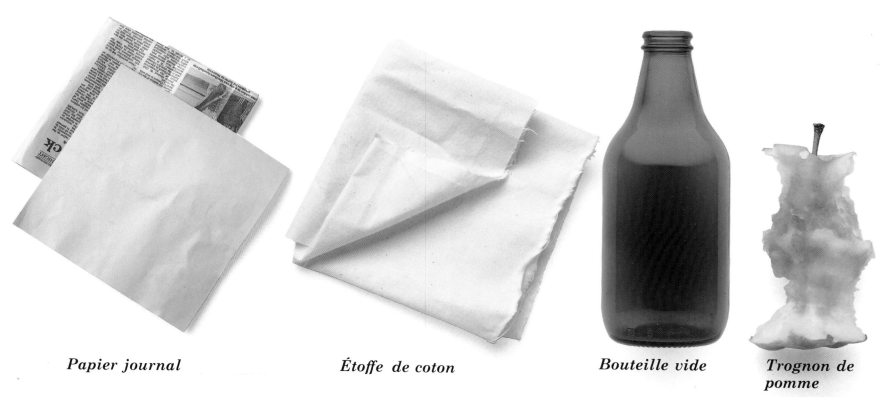

Papier journal   Étoffe de coton   Bouteille vide   Trognon de pomme

TOUT CE QUE TU JETTES

Chaque année, une famille rejette beaucoup d'ordures ménagères. La plupart sont brûlées ou enterrées. Mais nos détritus sont si nombreux et si variés qu'ils représentent une grave source de pollution. Heureusement, beaucoup de nos déchets peuvent être réutilisés – on dit *recyclés*. Ainsi, nous fabriquons moins d'objets nouveaux, ce qui économise l'énergie et réduit la pollution. Classe tes déchets dans ces différents groupes et lis, en bas de la page, ce que tu peux en faire.

Métaux

Aimant

Beaucoup de boîtes, de capsules sont en fer. Elles peuvent être attirées par un aimant.

Celles en aluminium n'y adhèrent pas.

Tu peux jeter des objets en fer, ils seront séparés au moyen de gros aimants et envoyés au recyclage. Par contre, porte les objets en aluminium directement dans une benne.

Verre

Flacons de parfum

Pots de confiture

Bouteilles

Rapporte les bouteilles consignées : elles seront réutilisées. Dépose les autres dans un collecteur de verre près de chez toi.
Pense à retirer les bouchons et les couvercles.

Papier

Enveloppes et papier à lettres

Vieux magazines et journaux

Carton

Tous les ans, on abat des millions d'arbres pour fabriquer du papier. Mais on peut aussi le recycler ! Envoie tes vieux papiers chez un chiffonnier. Utilise du papier de brouillon.

Matières biodégradables

Noyaux

Feuilles mortes

Trognons

Fleurs fanées

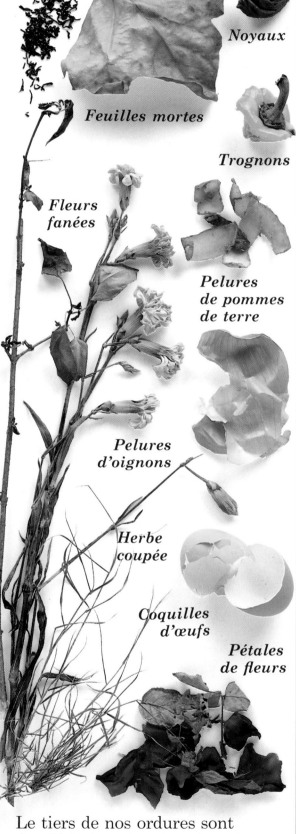

Pelures de pommes de terre

Pelures d'oignons

Herbe coupée

Coquilles d'œufs

Pétales de fleurs

Le tiers de nos ordures sont des déchets naturels qui sont biodégradables et pourrissent naturellement. Si tu as un jardin, demande à tes parents d'en faire un *compost*.
Cela fera un très bon engrais naturel.

Objets usagés

Vieux vêtements

Vieux jouets, non abîmés

Vêtements de bébé

Livres

Laine et tissus

Ces objets ne sont pas abîmés, mais tu ne les utilises plus. Fais-en profiter ceux qui en ont besoin en les donnant aux associations de charité, à la Croix-Rouge, aux Emmaüs, etc.

Plastique et matériaux dérivés

Bouteilles, sacs, emballages en plastique

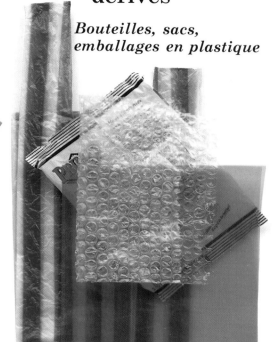

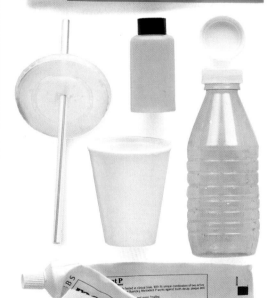

Boîtes en plastique

Le plastique est indestructible et il existe peu de façons de le recycler. Le meilleur moyen de ne pas le jeter, c'est encore d'en acheter le moins possible !

EMBALLAGES !

Les emballages constituent une grande partie de nos ordures. Bien sûr, ils sont utiles, car ils comportent des précisions sur les marchandises et ils les protègent. Mais, souvent, les produits sont emballés dans de nombreuses feuilles de papier, de plastique ou de carton, qui sont inutiles et coûtent cher. Évite d'acheter ces produits. Voici, par exemple, tous les emballages utilisés pour un seul repas à emporter.

La nourriture

Ketchup

Petit hamburger

Petite portion de frites

Boisson

Beignet

Les emballages

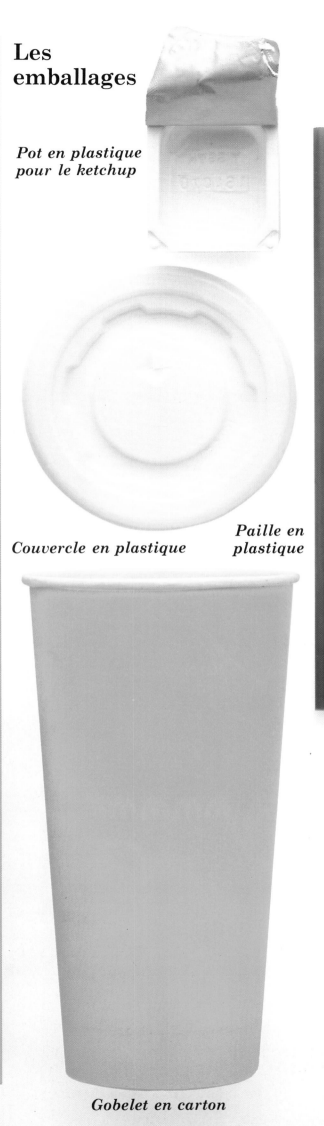

Pot en plastique pour le ketchup

Couvercle en plastique

Paille en plastique

Gobelet en carton

24

Serviette en papier

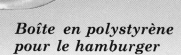

Boîte en polystyrène pour le hamburger

NE GASPILLONS PLUS

Tous ces emballages iront droit à la poubelle. Pour éviter ce gaspillage, voici ce que tu peux faire :
- Refuse les emballages inutiles dans les fast-foods.
- N'achète pas de produits trop emballés ou de petits articles sous emballage individuel.
- Dans les magasins, emporte tes propres sacs afin de ne pas utiliser de nouveaux sacs en plastique à l'unité.

Cornet en carton pour les frites

Sac en papier pour emballer le tout

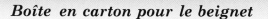

Boîte en carton pour le beignet

UN PANIER BIEN REMPLI

Lorsque tu vas faire tes courses, tu trouves un grand choix d'articles. Certains sont plus *écologiques* que d'autres : ils sont meilleurs pour ta santé et moins dangereux pour l'environnement. Si les gens achètent ce genre de produits, ceux-ci seront plus nombreux dans les magasins. Ils coûteront moins cher. Voici comment « bien » faire les courses.

Produits naturels

Riz brun naturel

Riz blanc raffiné

Fromage frais

Fromage emballé

La nourriture emballée peut être traitée, colorée, raffinée et contenir des produits chimiques. Lis les étiquettes et évite ce genre d'articles.

Acheter frais

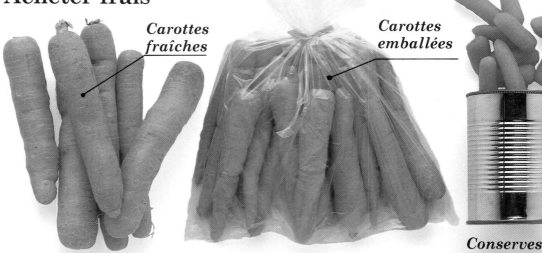

Carottes fraîches

Carottes emballées

Conserves

Choisis plutôt des légumes frais et non emballés. Les sacs en plastique ne sont pas toujours nécessaires. Les conserves ne coûtent pas cher, mais elles sont moins bonnes pour la santé et l'on utilise du métal et de l'énergie pour les fabriquer.

Produits biologiques

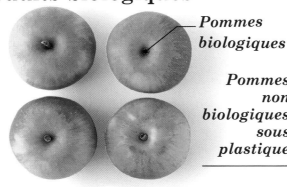

Pommes biologiques

Pommes non biologiques sous plastique

Les aliments *biologiques*, fruits ou légumes, n'ont pas subi de traitement aux pesticides ou aux engrais chimiques.

La nourriture biologique coûte plus cher, mais ses prix baisseront si tout le monde se met à en acheter.

Œufs

Œufs fermiers

Œufs d'élevage

La plupart de nos œufs sont pondus par des poules enfermées dans de petites cages. Pour décourager ce genre de production, achète plutôt des œufs fermiers, pondus par des poules vivant en liberté. Évite les œufs sous plastique.

Papier recyclé

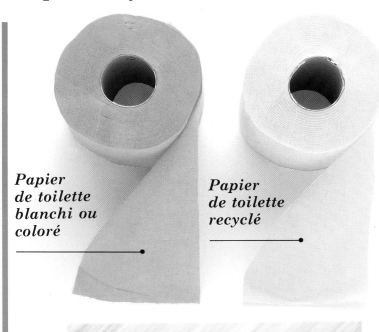

Papier de toilette blanchi ou coloré

Papier de toilette recyclé

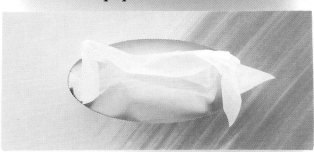

Mouchoirs en papier blanchis ou colorés

Mouchoirs en papier recyclé

Bloc de papier standard

Bloc de papier recyclé

La plupart des supermarchés vendent des articles en papier recyclé. Ils ressemblent aux autres, mais aucun nouvel arbre n'a dû être abattu pour les fabriquer !

Aérosols

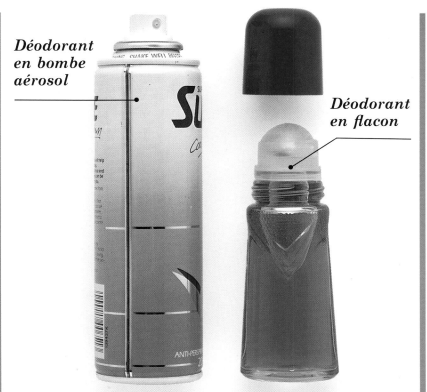

Déodorant en bombe aérosol

Déodorant en flacon

On trouve maintenant des aérosols sans danger pour l'atmosphère. Mais, pour les fabriquer, on utilise quand même des produits chimiques et beaucoup d'énergie.
Choisis plutôt d'autres articles.

Produits d'entretien

Produit d'entretien standard

Produit d'entretien écologique

Il existe des liquides de nettoyage ne contenant pas de produits toxiques ni de détergents puissants. En les achetant, tu contribues à réduire la pollution des eaux.

SOUS TES PIEDS

La terre est composée de rochers réduits en poussière, mélangés aux plantes, aux vers, aux insectes et aux autres animaux, qui vivent à la surface, meurent et se décomposent. Leurs restes forment une matière organique, appelée *humus*, qui se transforme en terre végétale. Récolte de la terre à différents endroits et réalise l'expérience suivante.

Terre de jardin

Il te faut

Pichet d'eau

Terre agricole

Terre forestière

MATÉRIEL

3 pots de confiture

Grande cuillère

Stylo

Étiquettes

Comment faire ?

1 Verse la terre dans chacun des pots jusqu'au tiers de la hauteur. Étiquette chaque pot en indiquant l'origine de la terre.

2 Remplis les pots avec l'eau et remets les couvercles. Secoue-les bien et laisse les mélanges reposer pendant quelques jours.

TERRE DE JARDIN

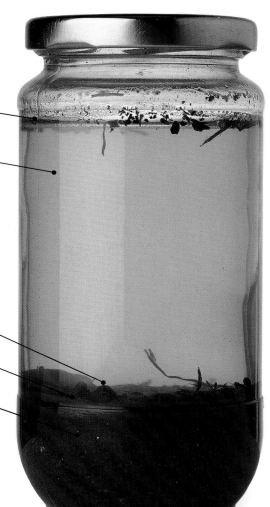

Humus

Eau

Humus

Argile

Dépôt (limon)

Dans un jardin
de ville, la terre
contient beaucoup
de limon
et d'argile.

TERRE AGRICOLE

Humus

Eau

Paille

Feuille morte

Limon

Sable

La composition de
la terre agricole
varie selon les
régions et les
cultures, et aussi
selon la quantité
d'engrais chimiques.

TERRE FORESTIÈRE

Humus
(restes de feuilles)

Eau

Argile et limon

Cette terre, qui
vient d'une forêt
de chênes, contient
beaucoup de
restes de feuilles
mortes.

DIFFÉRENTES COUCHES

Après quelques jours, la terre se sépare
en plusieurs couches. Les plus lourdes se
déposent en premier, les plus légères
en dernier ou elles restent en surface, comme
l'humus. Essaie de reconnaître les différentes
strates, puis compare-les. Laquelle contient
le plus d'humus ? Entre un sol sableux
et un compost pour le jardin, quel est le
meilleur pour les plantes ?

IMPORTANCE DU SOL

Chaque terre contient différentes quantités
de gravier, de sable, de limon, d'argile, d'humus,
et toutes ne sont pas aussi fertiles. On ne trouve
pas les mêmes plantes sur une dune de sable
et dans une forêt, par exemple.
L'humus est important, car il est un engrais
naturel. Il conserve aussi les sols en empêchant
que le vent ou la pluie ne les entraînent au loin.
La culture biologique est la meilleure pour la
terre, car elle lui permet de renouveler
constamment son humus.

TON JARDIN SAUVAGE

Si tu veux conserver près de toi un petit espace de nature, crée ton jardin sauvage. Cela demande peu de place. Une jardinière ou un grand pot de fleurs feront l'affaire. Choisis des fleurs riches en nectar, car elles attirent les papillons et les abeilles. Voici comment faire avec des fleurs d'été*.

MATÉRIEL

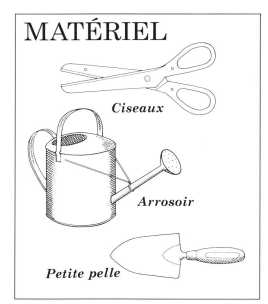

Ciseaux

Arrosoir

Petite pelle

Il te faut

Bruyère

Jardinière ou grand pot de fleurs, avec trous de drainage au fond

Gravier ou boules d'argile

Terre riche en compost (terreau)

Jolie jardinière

Marjolaine

Orpin

1 Au fond de la jardinière, dépose une couche de gravier de 3 cm d'épaisseur environ, qui absorbera l'eau.

2 Recouvre le gravier de terreau jusqu'à mi-hauteur de la jardinière. Répartis bien le terreau.

3 Avant de les retirer de leur pot, décide de la disposition de tes plantes : les grandes derrière, les petites devant.

4 Dépote soigneusement la première plante et place-la dans la jardinière. Enfonce-la légèrement dans le terreau.

Chrysanthèmes ou asters

5 Place de même les autres plantes et rajoute du terreau. Tasse-le et arrose-le bien.

* Tu peux utiliser d'autres plantes : lis la page 34.

NATURE MINIATURE

Voici ton jardin sauvage achevé ; il fleurira jusqu'à la fin de l'été. Pose-le au bord d'une fenêtre ensoleillée où il ne risque pas de tomber. Même en pleine ville, tu pourras observer les papillons et les abeilles attirés par le nectar des fleurs. Découvre dans les pages suivantes d'autres plantes qui attirent les insectes.

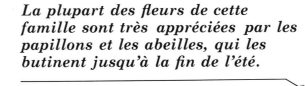

MARGUERITES

La plupart des fleurs de cette famille sont très appréciées par les papillons et les abeilles, qui les butinent jusqu'à la fin de l'été.

MARJOLAINE

Les fleurs roses de cette plante très odorante attirent papillons et abeilles. Tu peux également planter du thym, qui donne de jolies petites fleurs.

Arrosage

Pour conserver la terre humide, tu dois l'arroser assez souvent : tous les jours, quand il fait chaud.

ORPIN

Plante de jardin réputée pour attirer les papillons, l'orpin possède de larges ombelles de petites fleurs roses très serrées. Il fleurit tous les ans à la fin de l'été.

BRUYÈRE

Les clochettes pourpres de cet arbuste, qui reste vert toute l'année, fleurissent du milieu de l'été à la fin de l'automne et attirent les abeilles.

JARDINIÈRE

La jardinière est en terre cuite plutôt qu'en plastique. Mais la terre cuite absorbe l'humidité, et les plantes doivent être arrosées plus souvent que dans des bacs en plastique.

La coupe des fleurs

Les plantes de ton jardin sauvage fleuriront plus longtemps si tu coupes régulièrement les fleurs fanées.

POUR LES OISEAUX ET LES ABEILLES

Dans ton jardin, tu peux faire pousser des plantes qui attireront les animaux. Choisis des espèces qui donnent beaucoup de fleurs au printemps, comme les ravenelles, les giroflées, les lunaires, qui produisent du nectar tôt dans l'année. Un carré d'orties nourrira les chenilles. D'autres plantes peuvent aussi attirer les oiseaux et les abeilles.

AUBÉPINE

Dans une haie d'au-bépines, les insectes trouvent du nectar dans les fleurs et les oiseaux mangent les baies en automne.

LAVANDE

Les papillons aiment les fleurs odorantes de la lavande, très répandue dans les jardins.

HORTENSIA

Les hortensias fleurissent tard dans l'été. Leurs nombreuses petites fleurs attirent les abeilles.

Buddleia

Tourneso

Scabieuse

34

MÛRIER

Les fleurs de cette autre plante des haies, attirent les abeilles et les papillons. En automne, les mûres sont très appréciées des oiseaux.

GARDE-MANGER

À l'automne, la grosse tête touffue du tournesol est un véritable garde-manger pour les oiseaux. Ils s'y perchent et picorent les petites graines huileuses.

PYRACANTHA

À l'automne, les oiseaux mangent les baies éclatantes de cet arbuste.

BUDDLEIA

Souvent appelé « arbre à papillons », il possède des fleurs très odorantes qui attirent les abeilles.

CHARDON

Cette plante, qui fleurit à la fin de l'été, fait partie d'une famille appréciée des abeilles.

Graines de tournesol

TOURNESOL

En été, les papillons, les abeilles et quelques petits scarabées sont attirés par les fleurs géantes du tournesol.

SCABIEUSE

La douce odeur de la scabieuse, qui fleurit en été et au début de l'automne, attire les insectes.

35

PLANTE TON ARBRE

Les arbres sont nécessaires aux oiseaux, aux insectes et aux autres animaux, car ils leur procurent nourriture et abri. Pourtant, chaque jour, ils sont abattus par milliers pour la fabrication du papier* ou pour défricher des terres à cultiver. Il faut donc en planter beaucoup : plante un arbre toi-même et, dans les pages suivantes, tu vas comprendre pourquoi les arbres jouent un si grand rôle écologique.

Il te faut

Des graines d'arbres différents qui poussent près de chez toi et que tu récolteras en automne.

Akènes d'érable

Faines de hêtre

Glands de chêne

Marrons

Terreau pour semis

Châtaignes

Gravier

MATÉRIEL

Arrosoir

Étiquettes

Petite pelle

Pot de fleurs

Stylo

* Comme les conifères, qui poussent très vite.

Comment faire ?

1 Dépose environ 1 cm de gravier au fond de chaque pot. Puis remplis les pots de terreau presque jusqu'en haut.

2 Plante une graine différente dans chaque pot. Enfonce-la d'environ 1 cm dans le terreau, et arrose-la.

3 Colle sur chaque pot une étiquette portant le nom de l'arbre. Place les pots dehors et attends jusqu'au printemps.

CROISSANCE DE L'ARBRE

Arrose tes pots régulièrement pour garder la terre humide. Au printemps, certaines graines auront commencé à pousser. Note leur évolution dans ton « carnet vert » (voir page 44). À quelle vitesse poussent-elles ? Note l'apparition de nouvelles feuilles.

LE JEUNE ARBRE

Ce jeune érable en est à son deuxième été. Il pousse, et sa tige devient de plus en plus robuste. Elle ressemble à un minuscule tronc.

PLANTATION

Tes jeunes arbres doivent être plantés en pleine terre quand ils ont 10 à 12 cm de haut. Creuse dans le sol un trou un peu plus gros que le pot. Dépote ton arbre avec sa terre et plante-le dans le trou.

OÙ LE PLANTER ?

Demande à un adulte où tu peux planter ton arbre. Choisis un coin ensoleillé et protégé, loin des routes et des constructions. Surveille-le après sa plantation.

37

L'ARBRE À OXYGÈNE

C'est grâce aux arbres et à toutes les plantes vertes que notre air reste propre et respirable. Tu as vu comment les végétaux absorbent l'eau du sol (pages 16 et 17). Cette nouvelle expérience t'explique ce que devient une partie de l'eau que boivent les arbres, et comment ceux-ci influencent le climat. Pour en savoir plus sur les forêts vierges et ce qui est en train de leur arriver... tourne la page.

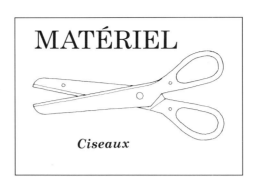

MATÉRIEL

Ciseaux

Grand sac en plastique transparent

Il te faut

Ficelle

Jeune arbre (ou plante verte)

L'arbre respire-t-il ?

1 Après avoir bien arrosé la terre, recouvre l'arbre avec le sac en plastique, comme sur la photo.

2 Serre bien le sac autour du pot avec la ficelle. Place l'ensemble au soleil et attends quelques jours.

DE L'EAU DANS LE SAC

*Chaque jour, des gouttes d'eau apparaissent
dans le sac. Les feuilles de l'arbre
sont en effet percées de trous minuscules,
les stomates, qui laissent l'eau s'évaporer.*

*Quand il fait très chaud, l'arbre perd
des litres d'eau, qui se transforment
en vapeur et s'élèvent dans l'atmosphère.*

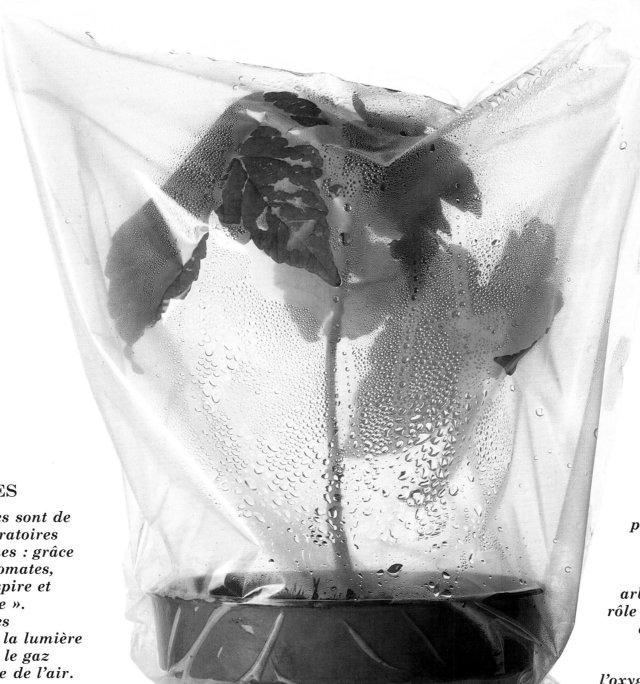

LES
FEUILLES

*Les feuilles sont de
vrais laboratoires
scientifiques : grâce
à leurs stomates,
l'arbre respire et
« transpire ».
Les feuilles
absorbent la lumière
du jour et le gaz
carbonique de l'air.
Leur mélange avec
l'eau produit de la
sève, dont se nourrit
l'arbre.*

*En même temps,
les feuilles rejettent
dans l'air un gaz
appelé oxygène,
que les animaux
et les hommes
doivent respirer
pour vivre.*

PROTÈGE
LES
ARBRES !

*En consommant
des carburants
nos automobiles
polluent l'air, car
elles rejettent
trop de gaz
carbonique. Les
arbres ont donc un
rôle vital, puisqu'ils
absorbent ce gaz
carbonique et
fabriquent de
l'oxygène. Mais il n'y
a plus assez d'arbres
aujourd'hui et tout le
monde doit les
protéger.*

RÉAGIS
- Plante des arbres.
- Recycle tout ton papier.
- Économise l'énergie
  (voir page 11).

39

TRÉSORS DE LA FORÊT VIERGE

Les forêts vierges, humides et denses, se développent dans les régions équatoriales. Il y fait très chaud et il pleut presque tous les jours. Les arbres s'élèvent très haut et l'on y trouve la plus grande variété de vies animales et végétales du monde. Les arbres y sont si nombreux qu'ils ont même un effet sur le climat. Pourtant, beaucoup sont abattus pour leur bois, pour les constructions des hommes... Déjà, le climat de la planète change et la destruction des forêts vierges signifie que des milliers d'espèces de plantes et d'animaux risquent de disparaître. Voici quelques-unes des richesses de la forêt vierge.

Deux sortes d'acajou

Le papillon « reine Alexandra », l'un des plus grands du monde

BOIS PRÉCIEUX

Beaucoup d'arbres, tels l'acajou, le teck et l'ébène, sont abattus, car leur bois est précieux. Demande à tes parents de ne plus acheter d'objets fabriqués dans ces bois.

ESPÈCES MENACÉES

Beaucoup d'espèces sont en danger à cause de la destruction de leur milieu de vie. Certaines, comme le papillon ci-dessus, sont très menacées.

PLANTES RARES

Les plantes de la forêt vierge pourraient fournir de nouveaux médicaments et des aliments. Mais beaucoup disparaissent.

Orchidée tropicale

MÉDICAMENTS

Chez le pharmacien, un médicament sur quatre contient des substances provenant de plantes qui poussent dans les forêts vierges.

Comprimés

Cardamome

Clous de girofle

Cannelle   *Muscade*

CAOUTCHOUC

La plus grande part du caoutchouc utilisé dans le monde est fabriquée avec le latex blanc qui provient d'arbres de l'Amazonie.

ÉPICES

La plupart des épices utilisées en cuisine poussent sur des arbres de la forêt tropicale. Ce sont le gingembre, les clous de girofle, la muscade, le poivre, la cardamome, etc.

Noix de cajou

NOIX

Les noix du Brésil poussent sur des arbres de la forêt d'Amazonie. Toutes les noix du Brésil sont récoltées sur des arbres sauvages.

Noix du Brésil

Ananas

ALIMENTS

Les forêts tropicales regorgent d'aliments délicieux, oranges, citrons, ananas, riz, maïs, sucre, bananes...

Huile végétale

HUILES

De nombreuses plantes tropicales sont riches en huile. On les utilise pour la cuisine et les moteurs.

Orange

Citron

TON ÉQUIPEMENT

Si tu veux protéger encore mieux l'environnement, il te faut sensibiliser d'autres personnes. Pour cela, tu dois leur expliquer les problèmes et proposer des solutions. Tout d'abord, réunis ce que tu vois ici en photos et constitue ton matériel. Puis, regarde dans les pages suivantes comment collecter des informations. Note-les dans ton carnet vert, afin de mener ta propre campagne.

Il te faut

Appareil pour prendre des photos pendant tes enquêtes

Carnet pour noter les informations

Crayon

Papier à lettres et beaucoup d'enveloppes pour écrire aux gens qui pourront t'aider

Classeur pour ranger les doubles de tes lettres et les documents utiles

Crayons-feutres

Punaises
pour fixer des affiches
(regarde pages 46-47)

Grandes feuilles
de papier couleur
et de papier toilé pour
les affiches

Peintures et pinceaux. Tu en auras besoin,
comme des feutres, pour réaliser des affiches.

Ciseaux

Colle

Sacs en papier
pour les
échantillons

Cartons
et petites
épingles
pour les badges

Étiquettes
pour marquer
tes échan-
tillons

Papier collant
(pour les
badges)

43

TON « CARNET VERT »

Pour t'aider dans ton enquête, tiens un carnet de terrain. Note ce qui se produit dans ta région et les résultats de tes expériences et de tes enquêtes. Tu peux aussi y coller des coupures de journaux ou y conserver des graines récoltées pour ton jardin sauvage. Ton carnet deviendra une source d'informations indispensable si tu veux mener une campagne.

COUPURES DE JOURNAUX

Découpe dans les journaux tous les articles intéressants sur les problèmes d'environnement et colle-les dans ton carnet.

TES EXPÉRIENCES

Note exactement ce qui s'est produit au cours de tes expériences d'écologie. Dessine ou inscris les résultats dans le carnet.

Pluie acide

Fabriqué papier tournesol avec du buvard. Utilisé pour tester :
1) Eau pure
2) Eau légèrement vinaigrée
3) Eau très vinaigrée

Eau

Acide

Très acide

Graines d'arbres

Graines d'érable trouvées près de chez Éric : 28.9.92

POLLUTION

Que tu sois chez toi, à l'école, en promenade ou en vacances, recherche des indices de pollution de l'air (regarde pages 8 et 9). Note tes observations et dessine-les.

Pollution de l'air
Trouvé deux nouveaux échantillons pour mes contrôles de pollution : un morceau d'écorce dans le parc et une pierre sur une plage de la Manche.

Club nature
Idées de choses à faire pour notre club.

Carte de membre

Logo du club

Affiche

Badge

FAIRE CAMPAGNE

Si tu projettes de créer un club et de lancer une campagne de protection de la nature, utilise ton carnet vert pour noter et dessiner tes idées.

MÈNE TA CAMPAGNE

Pour inciter les gens à protéger l'environnement,
le meilleur moyen est de mener une campagne
avec les copains de ton club. Ramasser
les papiers dans les rues, collecter
les déchets à recycler, etc., sont
des idées d'actions à mener.
Voici comment
faire.

Logo (symbole du club) : ribambelle verte en papier plié et découpé

CLUB NATURE DES PEUPLIERS

SAUVEZ NOTRE PARC

Arbres découpés dans du papier toilé et collés sur l'affiche

AFFICHES

Colle des affiches dans ton quartier pour avertir les gens des activités de ton club. Précise bien l'heure, le lieu* et le sujet de chaque réunion.

Venez tous à la réunion
à l'école des peupliers
le 26 Mars 1992 à 17 heures.

46

* Un adulte t'aidera à trouver un local.

Un peu d'imagination...

1 Dessine des petits cercles sur du bristol en t'aidant d'un verre ou d'un petit couvercle.

2 Invente un dessin et un slogan pour chaque cercle. Par exemple : PLANTEZ DES ARBRES ! Découpe le cercle.

3 Avec du papier collant, fixe une épingle à nourrice au dos de chaque badge et referme-la.

CARTE DE MEMBRE

CLUB NATURE DES PEUPLIERS
CARTE DE MEMBRE

Anne DUPUIS
5, allée des roses
14600 Honfleur

Fabrique une carte pour chaque membre de ton club. Colle dessus une photo d'identité du possesseur de la carte, écris son nom et celui de ton club.

BADGES

Protégez les animaux !

Non à la pollution !

Logo du club

Arbres en danger

Pour chaque personne, fabrique un badge avec le logo du club. Dessous, inscris le nom du club et les slogans de votre campagne.

ENVOIE DES LETTRES

N'hésite pas à écrire des lettres au journal local, à ton député ou au Premier ministre pour dénoncer les menaces sur l'environnement. Indique d'abord ton nom et ton adresse ainsi que la date et... n'oublie pas de signer à la fin !

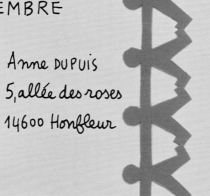 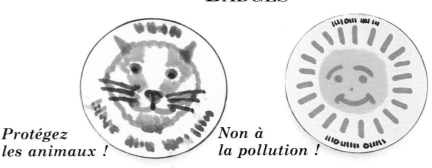

Anne DUPUIS
5, allée des roses
14600 Honfleur

Monsieur,
Je vous écris pour protester contre la fermeture du parc de la

ÉCOLO-CODE

Informe-toi sur les problèmes de l'environnement.
Parles-en avec ta famille et tes amis.
Déplace-toi le plus possible à pied, à vélo
ou par les transports en commun.

Recycle tes déchets (regarde pages 22-23).

Soigne tes animaux et tes plantes.

Ne jette pas tes déchets par terre.
Ramasse ceux que tu vois traîner.

Ne gaspille pas l'eau et l'électricité.
Ferme les robinets et éteins les lumières.

Fais bien attention à ce que tu achètes
(regarde pages 26-27). Évite les emballages
en plastique, la nourriture traitée, les
produits chimiques dangereux, etc.

N'utilise pas de pesticides et d'engrais
chimiques dans ton jardin.

Lance une campagne contre la pollution
ou pour protéger une zone naturelle.